Siân Le

Arlunwaith gan Anne Lloyd Cooper

Cyhoeddwyd gan
Y Ganolfan Astudiaethau Addysg
Prifysgol Cymru Aberystwyth
Yr Hen Goleg
Aberystwyth

ISBN: **1 85644 494 5**
1 85644 524 0 (set)

Ymgynghorwyr: Gwen Evans, Elwyn Owen

Diolch i Gwyn Griffiths, Eirlys Gruffydd a Nia Wood am eu harweiniad gwerthfawr.

Golygwyd gan Helen Emanuel Davies

Dyluniwyd gan Richard Huw Pritchard

Argraffwyd gan Wasg Gomer

Yn yr ysgol

"Wythnos nesaf ydy wythnos profiad gwaith.
Ydych chi'n cofio?" meddai Mr Rees.
Mr Rees ydy athro Dosbarth 10S.
"Ydyn," meddai pawb.
"Rydych chi i gyd wedi dewis gwaith.
Ydych chi'n cofio pa waith?" meddai Mr Rees.
"Ydyn," meddai pawb.
Mae Tim yn cofio'n iawn. Mae e'n mynd i syrjeri
Mrs Evans, y fet.

Dydd Llun ydy hi. Mae Tim yn mynd i'r stafell aros yn syrjeri'r fet. Mae'r stafell aros yn fach, ond mae hi'n llawn o anifeiliaid.

Yn y stafell aros mae:

sbaniel brown	–	Jac
labrador du	–	Nel
cath ddu	–	Meri
cath wen	–	Mew
cath streipiog	–	Henri.

Mae'r labrador du yn sefyll ac yn cyfarth. Mae'r sbaniel brown yn eistedd yn dawel ac yn crynu. Mae'r gath ddu a'r gath wen yn cysgu. Henri ydy'r gath streipiog. Mae e'n mewian yn uchel.

Yn y gornel mae rhywbeth mewn cawell.
Does dim sŵn yn y cawell.
Does dim yn symud yn y cawell.

Yn y syrjeri

"Helô, Tim," meddai Mrs Evans y fet.
"Dere i mewn i'r syrjeri. Rhaid i ti sychu'r bwrdd i fi."
Mae rwber du dros y bwrdd yn y syrjeri.
Mae Mrs Evans yn rhoi clwtyn glas i Tim
ac mae Tim yn sychu'r bwrdd.

Jac

Mae'r sbaniel brown yn dod i mewn i'r syrjeri. Jac ydy enw'r sbaniel. Ci Wendy ydy Jac. Mae Wendy yn rhoi Jac ar y bwrdd. Mae e'n crynu. Mae e'n ofnus. "Dere, Jac," meddai Mrs Evans. "Rhaid i ti gael pigiad." Mae Jac yn cael pigiad. Dydy e ddim yn cyfarth, ond mae e'n dal i grynu.

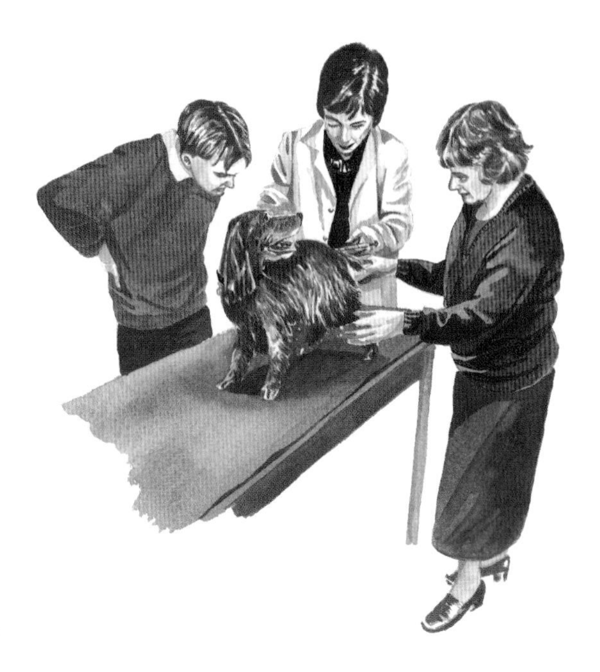

Ar ôl i Jac fynd allan, mae Tim yn sychu'r bwrdd eto â'r clwtyn glas. Mae blew brown dros y bwrdd.

Nel

Mae'r labrador du yn dod i mewn i'r syrjeri.
Nel ydy enw'r labrador. Ci Darren ydy Nel.
Mae gan Nel lwmp yn ei brest.
"Rhaid i Nel gael triniaeth," meddai Mrs Evans wrth Darren. "Rhaid i Nel aros yma.
Dewch yn ôl ar ôl tair awr, Darren."

Mae Nel yn mynd i stafell arall ac mae Tim yn sychu'r bwrdd eto â'r clwtyn glas.

Y cathod

Nawr mae'r gath wen a'r gath ddu yn dod i mewn. Cathod Mr Lewis ydyn nhw. Meri ydy enw'r gath ddu. Mew ydy enw'r gath wen. "Dydyn nhw ddim yn gallu llyncu tabledi," meddai Mr Lewis.

Mae Mrs Evans yn agor ceg y gath wen.
Mae hi'n rhoi tabled ar dafod y gath. Llwnc!
Mae hi'n rhoi tabled ar dafod y gath ddu. Llwnc!
Mae'r tabledi wedi mynd.
"Diolch yn fawr, Mrs Evans," meddai Mr Lewis.
Mae Tim yn sychu'r bwrdd eto â'r clwtyn glas.

Eric

Mae Alun Jones yn dod i mewn.
Mae cawell ganddo, ac mae e'n rhoi'r
cawell ar y bwrdd. Yn y cawell
mae anifail bach melyn blewog.
Ffured ydy'r anifail. Enw'r ffured ydy Eric.

Mae ffured yn gallu bod yn gas.
Ond dydy Eric ddim yn gas. Mae Eric yn wael.
Dydy e ddim yn gallu bwyta. Mae e'n wan
ac mae e eisiau cysgu.
"Mae Eric yn wael iawn," meddai Alun Jones.

"Ydy," meddai Mrs Evans yn dawel.
"Mae'n ddrwg gen i. Mae Eric yn wael iawn
a fydd e ddim yn gwella. Os bydda i'n rhoi pigiad
iddo, bydd Eric yn marw'n dawel, heb boen.
Ydych chi'n fodlon?"
Mae Alun Jones yn nodio ei ben yn drist.

Mae Mrs Evans yn rhoi pigiad i Eric.
Mae Eric yn gorwedd yn y cawell.
Mae e'n cau ei lygaid. Mae e wedi marw.
Mae'r syrjeri yn dawel, dawel.

Henri

Mae Henri'r gath yn dod i mewn i'r syrjeri. Mae Henri'n mewian yn uchel. Cath Anwen ydy Henri. Mae Tim yn hoffi Henri ar unwaith.

"Mae Henri wedi bod yn ymladd," meddai Anwen. "Mae clwyf ar ei goes."
Mae Mrs Evans yn edrych ar Henri'n ofalus. "Mae chwain arnat ti hefyd, Henri," meddai Mrs Evans. "Rhaid i fi wnïo'r clwyf ar goes Henri. Rhaid i fi ladd y chwain hefyd. Dewch yn ôl ar ôl tair awr, Anwen."

Mae Tim yn sychu'r bwrdd yn lân *iawn* ar ôl Henri.

Yn y stafell driniaeth

Henri

Mae Henri wedi cael pigiad. Mae e'n dawel o'r diwedd. Mae e'n cysgu'n drwm. Mae Mrs Evans yn edrych ar y clwyf ar ei goes. Mae hi'n eillio'r blew oddi ar ei goes. Yna mae hi'n glanhau'r clwyf ac yn gwnïo'r croen. Mae Tim yn cario Henri yn ôl i'r syrjeri. Mae Henri yn cysgu'n drwm o hyd.

Nel

Mae Nel yn gorwedd ar flanced
yn y stafell driniaeth. Mae hi wedi cael pigiad.
Mae hi'n cysgu'n drwm. Mae hi'n gorwedd
ar ei chefn.

Mae Nel yn cael pigiad arall. Mae hi'n cysgu'n
drwm iawn nawr. Dyma Mrs Evans yn eillio'r blew
oddi ar frest Nel. Mae hi'n torri trwy'r croen.
Mae hi'n gwthio'r lwmp allan trwy'r croen.
Lwmp o fraster ydy e.

"Bydd Nel yn iawn," meddai Mrs Evans.
Mae hi'n gwnïo croen Nel.

"Ydych chi'n trin anifeiliad gwyllt weithiau?" meddai Tim.
"Ydw," meddai Mrs Evans. "Rydw i wedi trin mochyn daear. Roedd e wedi croesi'r ffordd o flaen bws mini."

"Roeddwn i ar y bws mini," meddai Tim.
"Sut mae'r mochyn daear?"
"Mae e'n gwella'n iawn," meddai Mrs Evans.

Yn y caffi

Mae Tim yn cwrdd â Bethan ac Emma yn y caffi. Maen nhw ar brofiad gwaith hefyd. Mae Tim yn siarad am y mochyn daear.

"Wyt ti'n hoffi gweithio yn syrjeri'r fet?" meddai Bethan.
"Ydw," meddai Tim. "Weithiau mae'n drist. Ond rydw i'n hoffi gweithio gydag anifeiliaid."